Formula of Love:

O+T=<3

I. SCIENTIST

Lyrics by 심은지

Composed by Anne Marie, Melanie Fontana, Michel "Lindgren" Schulz, Tommy Brown, Steven Franks, 72

Arranged by Tommy Brown, Mr. Franks, Michel "Lindgren" Schulz

왜 자꾸 날 연구해 | 아인슈타인도 아니고 | 왜 그렇게 각을 재 | sin, cos도 아니고 | 밀고 당기는 게 | 내 스타일은 더 아니고 | 알아보다 말 거면 | 눈에 밝히지나 마 좀

제발 | 넌 생각이 많아 문제야 문제 | 머릿속만 들여다보면 뭐 해 | 각 잴 시간에 답 낼 시간에 | Better make a move | Love ain't a science | Don't need no license

| 머리 싸매고 고민할수록 Minus | Don't try to be a genius | Why so serious? | 맘이 가는 대로 Wooah | 맘이 시킨 대로 What u, what u waiting for? | 그래 뭘 알아

냈어? | 그동안 나에 대해 | 다음 과목은 뭐야? | So what's the next class, then? | 백날 연구해봤자 이런 식이면 Failure | 분 단위로 바뀌어대는 | 내 맘은 못 풀어낼걸 |

You got a crush on me | You're gonna fall for me | 사랑 앞에서 이론이 무슨 소용, It's all useless, uh-huh | 이론 빠삭한 Genius 아인슈타인 | 보단 불도저 Curious

프랑켄슈타인 | 처럼 돌진해 서툰데 멋지네 | 거침없이, 세게 Rush | Got a crush on me | 답이 없어 재미있는 걸 넌 왜 몰라 | 답을 몰라 설레었던 걸 넌 왜 몰라 | 나사

하나 빠진 것처럼 사랑하자 | 딱 하나만 아는 바보 된 것처럼 | Love ain't a science, uhm-uhm | Need no license, uhm-uhm | 연구해 About me 'bout me | 충분히

You know 'bout me | Love ain't a science, uhm-uhm | Need no license, uhm-uhm | 말했잖아 What u, what u, what u waiting for?

Original publisher JYP Publishing (KOMCA), EMI Music Publishing Ltd., Universal Music Publishing Group, Sony Music Publishing, Champagne Therapy, Reservoir Media Music, the Key Artist Publishing Sub-publisher JYP Publishing (KOMCA), Universal Music Publishing Group, Sony Music Publishing, Universal Music Publishing Group, Reservoir Media Management, Inc., the Key Artist Agency Vocal productions by Lindgren Background vocals by Melanie Fontana, Sophia Pae Vocals directed by 심은지 Digital editing by 심은지 Recorded by 엄세희, 구혜진 at JYPE Studios Mixed by 이태섭 at JYPE Studios Mastered by 권남우 at 821 Sound Mastering

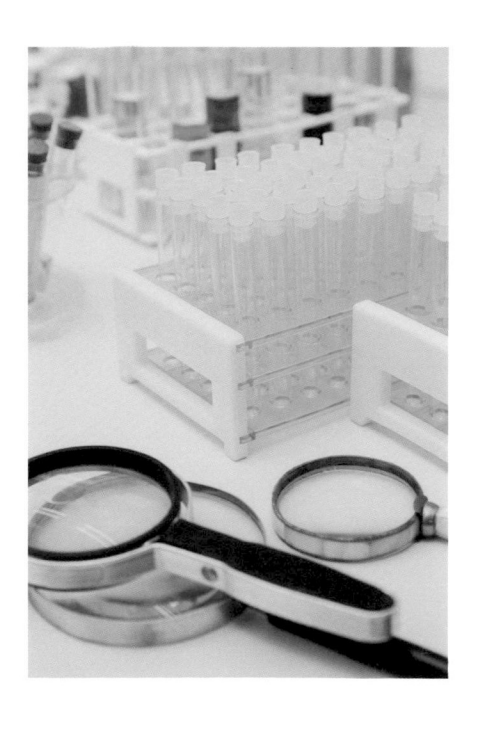

2. MOONLIGHT

Lyrics by Michael Pollack, Jake Torrey, Destiny Rogers
Composed by Jonathan Yip, Ray Romulus, Jeremy Reeves, Ray Charles McCullough II
Arranged by The Stereotypes

Your eyes are glowing in the dark | Lighting the way to where you are | Ain't nothing pulling us apart | When we're together | Diamonds are everywhere

they are all that I can see | Close isn't close enough, for you to be to me | I wanna be the air, be the air you breathe | Hold you forever | Ooh all the stars

above | Got nothin' on you baby | And your love is shining like the sky | But all I want tonight | You and I | Dancing in the moonlight | Kiss you when the

moods right | Baby, I don't want nobody else, but | You and I | Dancing in the moonlight | Kiss you when the moods right | Baby, I don't want nobody else,

but | Yoohoo | Yoohoo | Summer it never had a chance | Winter could melt inside your hands | You do it all because you can | Don't you forget it | Body

on me | You know that I'm what you need | I'm your favorite recipe | Got that boss type of energy, yeah yeah | Baby boy, you got my heart | Craving your

love, your touch | Hope you don't mind | Trying to take a trip under the moonlight | You the one that I want | In my feels so deep, like I'm in a dream | And

I don't want to wake up | And it's all because of you, I'm sprung | All I think about is you and us | You're all I want tonight

Original publisher What Key Do You Want It In Music (BMI), Songs With A Pure Tone (BMI) and Warner-Tamerlane Publishing Corp. (BMI) All rights on behalf of itself and What Key Do You Want It In Music and Songs With A Pure Tone administered by Warner-Tamerlane Publishing Corp., Publishing by Torrey Songs (BMI) / Songs of Brill Building (BMI), administered by Songs of Kobalt Music Publishing (BMI), 1 Mile To Destiny/Sounds By The Beach/Ent. One Publishing (ASCAP), Music For Milo/Warner-Tamerlane Publishing Corp. (BMI) (all rights adm. by Warner-Tamerlane Publishing Corp.), Stink Face Music (BMI) (admin. by Sony Songs), Sumphu/WC Music Corp. (ASCAP) (all rights adm. by WC Music Corp., Charm N Hammer Music/Ent. One Publishing (ASCAP) **Sub-publisher** Warner Chappell Music Korea Inc., Kobalt Music Publishing, Sony Music Publishing **Background vocals by** Sophia Pae **Vocals directed by** Sophia Pae **Additional editor** Jiyoung Shin NYC **Recorded by** 임세희, 이상엽, 구혜진 at JYPE Studios **Mixed by** Kevin "KD" Davis at Beach Wave Sound, North Hollywood, CA **Mastered by** Gene Grimaldi at Oasis Mastering

3. ICON

Lyrics by Melanie Fontana, GG Ramirez

Composed by Melanie Fontana, Michel "Lindgren" Schulz, GG Ramirez

Arranged by Lindgren

Yeah yeah yeah mmm | I'm over the top, so what | I'm just tryna give 'em all the what they want | No, I ain't hard to love | They know a thing like me is once in a lifetime | Spotlight on me even when we laying in the dark | I don't even mind 'em seeing all my battle scars | Couple twists and turns they took me straight to where we are | Outta the ashes, I'm coming alive | I think that's why they eyein me | Watchin' me | My legacy | I took it to the top | From the start | Never stop | I ain't going nowhere I'm an icon | When all them other nobodies are long gone | I don't even need to turn the mic on | Ay ya ya ya ya | Damn I got it | I'm iconic | Chasing the footsteps | You're tryna act too blessed | Tryin' too hard na na oo oo | But you best better stay calm | Stop trying be too on | Damn I got it | I'm iconic | Don't gotta tell me twice | I'm just tryna give 'em all the what they like | Got me so up, I'm fly | Up in a lifted state of mind | Imagine you living the high life | Every second of your life | Everything better I'm loving the view from the high rise | Even when it's high tide | I know that you wanna | Get into the middle of my ocean | You gotta | Gimme all my props cuz | Baby I'm a hustla | When they talk about me they all saying "Oh, I love her!" | I ain't seeing no lies | Look here I'm the highlight | If you had my love | You'd love me for your whole life

Original publisher Universal Music Publishing Group, Sony Music Publishing, Copyright Control **Sub-publisher** Universal Music Publishing Group, Sony Music Publishing, Copyright Control **Background vocals by** Melanie Fontana, Sophia Pae **Vocals directed by** Sophia Pae **Additional editor** Jiyoung Shin NYC **Recorded by** 엄세희 at JYPE Studios **Mixed by** 이태섭 at JYPE Studios **Mastered by** 권남우 at 821 Sound Mastering

4. CRUEL

Lyrics by 다현
Composed by Mich Hansen, Jeppe London Bilsby, Lauritz Emil Christiansen, Brooke Tomlinson, Alma Gudmundsdottir
Arranged by Cutfather, Jeppe London Bilsby, Lauritz Emil Christiansen

차가운 시선 속에 | 저 멀리 얼어붙은 둘의 사이 | 아직도 넌 내게서 | 벗어나질 못하니 | 아무렇지 않게 또 보란 듯이 Oh 난 잘 지내고 | 너의 예측과는 전혀 다른 모습

이라 | 가혹해? | You think I'm so cruel | But I'm just doing all the things that you do | Hey, you should put yourself in my shoes | Like a fool | Yeah, I'm cruel

| 증오해봐도 이미 | 어긋난 운명 끊어져 버린 걸 | 매정한 손짓 아래 | 흔적조차 떠난 걸 | So cruel 굳어진 말투 | So cruel 덤덤한 표정 | I know I know it drives you

mad | So cruel 조각난 기억 | So cruel 구겨진 가슴 | I know it drives you crazy

Original publisher JYP Publishing (KOMCA), Reservoir Media Official Music Folded Flower Songs (BMI), Songs of Brill Building (BMI), Alma Good Music (ASCAP), Brill Building Songs (ASCAP),
Sub-publisher JYP Publishing (KOMCA), Fujipacific Music Korea Inc., Kobalt Music Publishing (ASCAP) Background vocals by Sophia Pae Vocals directed by Sophia Pae Additional editor
Jiyoung Shin NYC Recorded by 엄세희, 이상엽 at JYPE Studios Mixed by 임홍진 at JYPE Studios Mastered by 권남우 at 821 Sound Mastering

5. REAL YOU

Lyrics by 지효
Composed by earattack, Sophia Pae, 공도, 마스터키
Arranged by earattack, 공도

Think you're all that? | 그게 너야? | 향수로 가득 덮인 그게 너야? | 다시 생각해 | 어깨 위 올라온 멋을 내려 | 진짜 너의 모습으로 날 대해 봐 | 가식적인 웃음 뒤엔 |

난 다 보여 | 단 아무것도 없는 너 | No, I ain't falling for it | 백지 그 상태로 날 다시 다루기로 해줘 | Baby, show me the real you 진짜 널 | 과연 네 진심은 어디까

지인 거야 너 | 거짓된 몸짓에 말투 모두 다 | 웃기지 마, 모르지 않아 Real you | 나 또한 숨기지 않을게 Real me | 사심 없는 미소를 지을 때 | 눈 맞춤에 설레어 올 때

| 그게 진짜야 That's our real love, yeah | I want the real you 감추지 마 | oh yeah yeah yeah | I want the real you 그게 너야 | oh yeah oh yeah | 아이처럼 굴지 마

철없게 | 뻔히 보이는 장난에 | 쉽게 속지 않을 테니 No more, yeah | 거기 잠시 멈춰 서 | Hey, stop right there | 네 모습 다시 돌아봐 | Look at yourself | Yo 걸음걸

이 속에 묻은 | 본성을 숨긴 허세 그다음 | Oh my, oh my | It's obvious, it's obvious | 두 얼굴의 너를 마주하지 않게 되면 | 밀고 당길 필요 없어지는데 | 떠올려봤어?

| 진심 그대로만의 우리 모습 | How to be in love with me | 알듯 모를 긴장감이 싫지만은 않을 감정이 간지럽힐 때 | So show me, show me | The real you, real you

Original publisher JYP Publishing (KOMCA), Copyright Control, Iconic Sounds **Sub-publisher** JYP Publishing (KOMCA), Music Cube, Inc., Sony/ATV Music Publishing Korea **Guitar by** 김종성
Background vocals by Sophia Pae **Digital editing by** 정유라 **Recorded by** 엄세희, 구혜진 at JYPE Studios **Mixed by** 이태섭 at JYPE Studios **Mastered by** 권남우 at 821 Sound Mastering

6. F.I.L.A (FALL IN LOVE AGAIN)

Lyrics by 나연
Composed by Anne Judith Stokke Wik, Sonny J Mason, Karen Poole, Ronny Svendsen
Arranged by Anne Judith Stokke Wik, Sonny J Mason, Karen Poole, Ronny Svendsen

Oh 처음 본 순간 저 끝에서 | 걸어오던 널 기억해 | You 내가 느꼈던 감정들 | 이 순간 다시 시작해 Na | 마치 위태로운 다리 위에서 | 건널 수 없는 난 어디 | My mind, not fine | 감당할 수 없는 진공 속에서 | 흔들리는 눈빛 더는 | Oh no, here we go | Tonight the stars out, lights flash | Thinking I was gonna dance | But rewind, playback | Now you got me in a trance | You got me, you got me, you got me like yeah yeah yeah | Tonight we, tonight we fall in Love again | La la la la la la la la la la | Fall in love again | La la la la la la la la la la | No I don't | 더는 잡히긴 싫어 | 우리 미랜 없는데 | 자꾸 걸어가려 해 | 너의 작은 행동 하나까지 | 신경이 곤두서는 게 Yeah | We are at a dead end | Oh no, here we go again

Original publisher JYP Publishing (KOMCA), EKKO Music Rights Europe (powered by CTGA), SAINTHOOD MUSIC LIMITED, Tap Music Publishing **Sub-publisher** JYP Publishing (KOMCA), EKKO Music Rights (powered by CTGA), Warner Chappell Music Korea Inc., Universal Music Publishing **Produced by** Ronny Svendsen & Sonny Mason **Background vocals by** Sophia Pae **Vocals directed by** Sophia Pae **Additional editor** Jiyoung Shin NYC **Recorded by** 엄세희, 이상엽 at JYPE Studios **Mixed by** 박은정 at JYPE Studios **Mastered by** 권남우 at 821 Sound Mastering

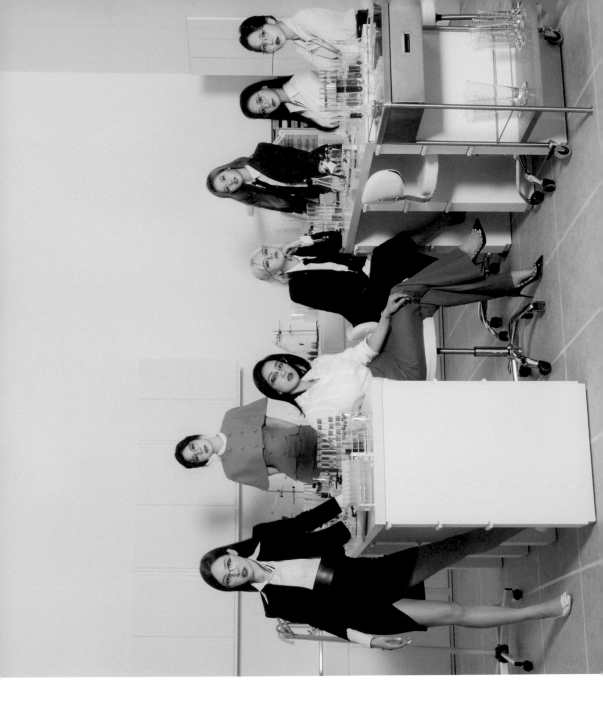

7. LAST WALTZ

Lyrics by 심은지
Composed by 심은지, 이해솔, EJAE
Arranged by 이해솔

Yeah | 황홀의 끝으로 | 널 데리고 갈게, 갈래? | 어둠이 내려앉기 전에 | 잠시만 잊고 잠시 동안 웃자, 어때? | 그래 줄 거지? | 아름답게 기억되어질 | 아니 기록되어질 날의 | 마지막 춤을 시작해 | 좋은 꿈을 꾸었다고 | 말할 수 있다면 돼 | 그걸로 돼 | 손잡고 딴단딴단딴 | Can we stay in this moment? | 딴단딴단딴 | 날이 새도록 | 춤을 추자 | Mmm Mmm | My Last | Mmm Mmm | My Last | 곧 끝나지만 | Our love was true | Mmm Mmm | My Last | Mmm Mmm | My Last | 멈추지 말고 | Just let it flow | 세상의 가운데에서 | 원을 그리며 돌고 있어 | 달빛도 우릴 비추네 | 새드엔딩들 중에 | 제일 행복하고 아름다울 걸 | 이보다 완벽할 수 있을까 | I'm a happiness seeker | Yeah someone calls me a psycho | 이별도 완벽하게 | 하고픈 Romancer | Forever we young young | 이 시간 속에 영영 | We never die | 욕심이 나더라도 | That would be nice | 작별 인사를 나누려고 해 | 네 숨결에 온기 남아있을 때 | Kiss me goodbye | 여전해, so sweet | 많이 웃자 | 더 밝게 웃어 | 슬픔마저도 | 오늘이 마지막이란 걸 모르게 | 어차피 멀어질 날 | 아예 저 끝까지 가보자 | 다시는 못 돌아오게

Original publisher JYP Publishing (KOMCA), EKKO Music Rights (powered by CTGA) Sub-publisher JYP Publishing (KOMCA), EKKO Music Rights (powered by CTGA) All instruments by 이해솔 Keyboard by 이해솔 Synth by 이해솔 Background vocals by EJAE Vocals directed by 심은지 Digital editing by 심은지 Recorded by 임세희, 구혜진 at JYPE Studios Mixed by 구종필 at KLANG Studio Mastered by 권남우 at 821 Sound Mastering

8. ESPRESSO

Lyrics by MosPick, Young Chance
Composed by MosPick, Young Chance
Arranged by MosPick

E.S.P.R.E.S.S.O | That's who I am | 한 모금에 너를 깨워 | 심장은 뛰고 온몸으로 퍼져가지 | 단 한 번에 Perfect caffeine, take it away | 중독된 것 같은 느낌 Lovin' it | One shot 24/7 | 널 미치게 하는 이 색은 Black | What you waiting for | Look how beautiful | 넘치게 넘치게 가득 담아줄게 | 더 짙어진 나의 Color | 더 깊어진 Bitter flavor | 내 맘본 너만 느낄 수 있어 | 네 심장을 뛰게 할 나 | Drip drop 한 방울씩 떨어지는 건 | 너를 깨울 완벽한 내 Potion | This, you've never seen before, get ready babe | Keeps you awake 그래 더 더 더 어둡게 | Drip 더 진하게 | Drop 아찔하게 | 때로는 달콤하게 Na na na nana | Drip 더 진하게 | Drop 아찔하게 | 단 한 번에 너의 심장을 뛰게 하는 Shot | 한마디에 빠져들어 | 이제는 돌이킬 수 없는 Fantasy, yeah | 이미 너는 이게 필요해 Take it away | 중독된 것 같은 느낌 Lovin' it | One step 그대로 내게 | 너무 가까워지면 조금 위험해 | Drip 더 진하게 | Drop 아찔하게 | 멈출 수 없어 삼켜버린걸 | 이 세상 모든 색깔 전부 다 | 이 세상 모든 색 전부 다 Blend it | 하나가 되어 선명해진 Black 그게 날 춤추게 해 | 짙어지는 이 향기 | 더 깊어진 우리 Story | Imma say it once | I'm not saying it twice | Look in my eyes | 네 심장을 뛰게 할 나

Original publisher Copyright Control **Sub-publisher** Copyright Control **Guitar by** 박우정 **Piano by** 강동하 **EP by** Young Chance **Background vocals by** 사운드킴 **Recorded by** 엄세희, 최혜진 at JYPE Studios **Mixed by** 조씨아저씨 @ JoeLab (asst. 강동호) **Mastered by** 권남우 at 821 Sound Mastering

9. 알고 싶지 않아 (REWIND)

Lyrics by 정호현 (e.one)
Composed by 정호현 (e.one)
Arranged by 정호현 (e.one)

알고 싶지 않아 어떻게 지내는지 | 돌이켜 보면 다 별거 아니더라 | 너의 말처럼 잘 지내고 있어 | 그토록 바라왔던 꿈도 난 이뤘어 | 궁금하지 않아 네가 | 뭉겼어 그렇게 간단한 건지 | 우리의 헤어짐이 너에겐 그렇게 쉬웠던 건지 이젠 | 다 지나간 일인데 | 누군가를 너무 사랑했던 내 예뻤던 모습은 | 너무나 그리워지네 | 우리 사이 영화처럼 이룸답진 않았어 | 누구나 하는 그런 사랑이었을 뿐 | 아니 내가 너무 변한 걸까, 그래 | 그때는 참 그랬어 너를 미워할 수밖에 없었어 | 그렇게 견뎌와 넌 모든 걸 다 줬지만 | 알고 싶지 않아 어떻게 지내는지 | 돌이켜 보면 다 별거 아니더라 | 너의 말처럼 잘 지내고 있어 | 그토록 바라왔던 꿈도 난 이뤘어 | 궁금하지 않아 | 난 알고 싶지 않아 | 난 궁금하지 않아

Original publisher CJ ENM Sub-publisher Victor Music Arts (JAPAN), Universal Music Publishing (Global) Keyboard by 정호현 Background vocals by 김소현, 정호현 Recorded by 임세희, 구혜진 at JYPE Studios Mixed by 초비아지비 @ JoeLab (asst. 강동호) Mastered by 권남우 at 821 Sound Mastering

10. 선인장 (CACTUS)

Lyrics by 지효
Composed by 지효, 희창 (Coke paris)
Arranged by 희창 (Coke paris)

나는 아직 어리고 한낱 작은아이 | 어느 한 곳 디딜 수 없는 난 아마 난 | 버텨봐도 또 나는 더 깊이 헤매어 혼자 서서 | 길수록 내게 또 다른 겁들이 자리해 어서 빨리 |

Save me, save me | 남겨진 이곳에 나 홀로 더는 안돼 | Save me, save me | 메마른 가신 널 찌르지 않을 테니 | 내가 먼저 너를 찾아간다면 다시 날 어루만서 줘 | I'll

be fine | I'll be fine | 그때 내게 주었던 온기 가득한 말 | 촉촉이 감싸던 그날의 한마디도 없는 넌 아마 넌 | I will find you 날 잊은 채로 지나가는 너를 이젠 | 몸커쥐

고 선 다시 날 바라보게 해야 해 어서 빨리 | 매일이 두려웠어 대체 어디로 가는지 | 낡고 부스러지는 몸이 보이니 이제는 나 | 일어서야 할 수밖에는 없어 | 내가 먼저

나를 찾아낸다면 다시 날 안아줄 거야 | I'll be fine

Original publisher JYP Publishing (KOMCA), Sony Music Publishing Sub-publisher JYP Publishing (KOMCA), Sony Music Publishing Guitar by 김명관, 노희창 Bass by 최준영 Piano by 노희창 Midi programming by 노희창 Chorus by 이은심 Vocals edited by 노희창 Recorded by 엄세희, 구혜진 at JYPE Studios Mixed by 신봉원 at GLAB Studios Mastered by 권남우 at 821 Sound Mastering

11. PUSH & PULL (JIHYO, SANA, DAHYUN)

Lyrics by 이스란
Composed by Justin Reinstein & Anna Timgren
Arranged by Justin Reinstein

여유는 잃지 않아 그게 나니까 | 걸음까지 완벽하잖아 | 뭔가 다른 눈빛에 끌린 너지만 | 익숙하게 탐색할 뿐이야 Oh | 아닌 척 덤덤하게 네 곁을 스쳐 가 | You can't take me down down | Hey babe 일부러 눈을 맞추고 괜히 날 보며 웃어도 | You can't take me down down | But I can't, I can't | Keep my cool, keep my cool | 이상해, 안돼 | Who? Who? | You | 너 때문에 흔들릴 뻔한 Attitude | Oh baby ooh | I want it, you know it | 절대로 난 질 생각 없어 Like a fool | Ooh baby ooh | I want it, you know it | 눈빛부터 표정까지 다 | I try to play it cool, gotta play it cool | 당기는 건 내가 해 Push and pull | 머리부터 발끝까지 다 | I try to play it cool, gotta play it cool | 미는 것도 내가 해 Push and pull | 따분한 패턴은 Break it, break it | 난 관심 없으니 Take it, take it | 매너 없게 제멋대로 밀어 왜 | 날 당길 생각 따윈 Bye bye bye bye | 잘 기억해 둬 주인공은 나 | 네가 이길 거란 착각 따윈 하지 마 | 쉽게 날 보다간 너만 다칠라 | Ah hoo yeah, it's all right | 모른 척 당당하게 | 다시 널 스쳐 가 | 이젠 그만 자극하지 마 | Hey 신경 쓰이니까 | 괜히 또 눈을 맞추고 | 보란 듯 수를 던져도 | 봐주는 건 끝 돌아서면 끝 | 선 넘은 순간 놀라도 몰라 | No no way | 날 이긴 척하지 말아 줘 | 내 맘 다 안다는 듯 | Say no, say no, say no | 웃기게도 실진 않지 | 뭔가 흘렀던 것만 같지 | But baby I, can play it cool | You, you're losing control

Original publisher Sony Music Publishing Korea, NuVibe Music **Sub-publisher** Sony Music Publishing, Music Cube, Inc. **All instruments and programming by** Justin Reinstein **Background vocals by** Sophia Pae **Additional editor** Jiyoung Shin NYC **Recorded by** 구해진 at JYPE Studios **Mixed by** 박은정 at JYPE Studios **Mastering by** 권남우 at 821 Sound Mastering

12. HELLO (NAYEON, MOMO, CHAEYOUNG)

Lyrics by JED, luke, DAVIDIOR
Composed by DAVIDIOR, JED
Arranged by DAVIDIOR

Hello, we up run this city yo | So good, 알지? Yeah, I'm litty yo | 이 순간 탁 트인 복잡한 도시 위 | Fanfare, hands in the air, woo | Hello, we up run this city yo | So cool, 알지? Yeah, I'm litty yo | 아슬한 이 느낌 떠올라 하늘 위 Uh | Fanfare, hands in the air, woo | 나쁜 말로 I'm a Bad chick | Ayy 좀 더 다른 말로 I'm the baddest | Uh 원하면 뭐든 갖지 | Ayy 한 번에 네 맘까지 | Yo 감춰봐도 표정 보면 알지 | 높이 비행 비행 윙 떠오른 너 Real quick | 우! 아! 하지 입술이 뭔가 홀린 듯 Move | Make em mad when I do this | I don't act, I just do | Just do something | 왜 말을 못 해 재미없게 | Ah yeah, ain't no one compare to me, I know | Ah yeah, ain't no one 너도 알고 있잖아 | Stop and just do something | 가까이 와봐 자신 있게 | Ah yeah, ain't no one compare to me, I know | Ah yeah, ain't no one 어서 네 맘 보여줘 | 건조한 너의 맘에 기름 붓자 Uh | Made to be fire 과열된 분위기 Ayy | I'm too ill 모두 아는 사실 | 태양을 삼킨 온도 Don't you forget it | Armageddon when I get it make the world shake | 처음이지? 이런 캐릭터 I'm a rare case | 밤새 Run the city like the mayor ayy | Too fly, get out, out of my airspace | Fanfare, hands in the air, ayy | Hello, we up run this city yo | So cool, 알지? Yeah i'm litty yo | NY, MO, CY | We TWICE | Fanfare, hands in the air, woo!

Original publisher Copyright Control **Sub-publisher** Copyright Control **Background Vocals by** 나연, 모모, 채영 **Vocals directed by** earattack **Digital editing by** 심규선 **Recorded by** 최혜진 at JYPE Studios **Mixed by** 구종필 at KLANG Studio **Mastered by** 권남우 at 821 Sound Mastering

13. 1, 3, 2 (JEONGYEON, MINA, TZUYU)

Lyrics by 심은지
Composed by Marcus Van Wattum, Jenson Vaughan, Lauren Dyson, Alexander Pavelich
Arranged by Marcus Van Wattum, Jenson Vaughan, Lauren Dyson, Alexander Pavelich

You always said 1, 2, 3 | 당연한 이 흐름이 | 내겐 어려운 거야 | 널 지치게 한 거야 | 네 모든 걸 다 쥐고도 | 늘 하나를 더 원했고 | 같이 걷고 있어도 | 몇 걸음은 더 앞서던 | 네게 빠질수록 줄일 수가 없었던 내 속도 | 이젠 좁혀도 좁혀도 벌어진 우리 Tempo | 음악에 맞춰 1 and 2 | 난 말도 없이 1, 3, 2 | 우린 엇박에 맞춰 | 위태로이 춤을 춰 | 너와 눈을 맞추고 | 너의 발에 맞출걸 | 넘어질 줄도 모르고 | 혼자만 빨랐던 빨랐던 빨랐던 Tempo | Follow follow follow follow follow your tempo ya | Should've follow follow followed your tempo ya | Follow follow follow follow your tempo yeah | 엉켜버린 호흡에 | 다 꼬여버린 시간들 | 돌릴 수도 없는데 | 왜 이렇게 돼버렸나 | 점점 뒤처지는 널 두고도 난 달렸지 1 to 10 | 춤을 추다 돌아보니 어느새 Shadow dance | 모든 게 다 내 잘못 모르는 게 나아 Not your fault | 자책만 서로 깊이 안은 채 | 시간 끌어 끌어 뭘 더 잡겠다고 | 계속 미뤄 미뤄 뭐가 남았다고 | You'd better better go go | Already-ready done done | 놓아줄게 Let go

Original publisher JYP Publishing (KOMCA), New Classic (BUMA), Three Bump Hill, Ultra Tunes (SOCAN), Copyright Control, Warner Chappell Music Norway AS **Sub-publisher** JYP Publishing (KOMCA), Fujipacific Music Korea Inc., Copyright Control, Warner Chappell Music Korea Inc. **Background vocals by** Sophia Pae **Vocals directed by** 심은지 **Digital editing by** 심은지, Jiyoung Shin NYC **Recorded by** 엄세희 at JYPE Studios **Mixed by** 임홍진 at JYPE Studios **Mastered by** 권남우 at 821 Sound Mastering

$(x^2 + y^2 - 1)^3 - x^2 y^3 = 0$

14. CANDY

Lyrics by Lewis Shay Jankel pka Shift K3Y
Composed by Lewis Shay Jankel pka Shift K3Y
Arranged by Lewis Shay Jankel pka Shift K3Y

Like candy sugar so sweet | That's what it tastes like when you're lovin' me | Thinking bout you every night, I | I can't get enough | And whenever I let

you out of my sight, I | I start to crave it too much | There's something bout your love, it keeps me up | And the rush goes straight to my brain | No baby,

I don't wanna come unstuck | Don't wanna let the high go to waste | Like candy sugar so sweet | That's what it tastes like when you're lovin' me | Cuz

baby when we're moving our feet | You've got me right where I wanna be | Candy sugar, so sweet, darling | Candy sugar, so sweet, ooh you're like | Candy

sugar, so sweet, darling | Candy sugar, so sweet | Honey, you know the way to my heart like | Strawberry lemon on ice | Every sip feels like I'm back at

the start, I | I need it tonight

Original publisher Kobalt Music Publishing Ltd **Sub-publisher** CIKO Music Rights (powered by CTGA) **Background vocals by** Sophia Pae **Vocals directed by** Sophia Pae **Additional editor**
Jiyoung Shin NYC **Recorded by** 엄세희, 이상엽, 구혜진 at JYPE Studios **Mixed by** 구종필 at KLANG Studio **Mastered by** 권남우 at 821 Sound Mastering

15. THE FEELS (KOREAN VER.)
CD ONLY

Lyrics by 채영, 이우민 "collapsedone", Justin Reinstein, Anna Timgren, Boy Matthews
Composed by 이우민 "collapsedone", Justin Reinstein, Anna Timgren
Arranged by 이우민 "collapsedone", Justin Reinstein

Boy I boy I boy I know | I know you get the feels | Boy I boy I boy I know | Uh, I'm so curious | 시선이 자꾸 흔들려 | 멋대로 네게 이끌려 | 너만 보면 난 | Get so shy 보나 마나 | 지금 내 머릿속엔 | 온통 너로 가득한데 | 확 안겨볼까? | Shoot | I'm ready, aim and fire, baby | I | Feel like cupid's alive | Alive tonight, yeah tonight | 네 심장도 뛴다고 말해줘 | Cos I'm boom boom boom from head to toe and I | 알 수 없는 이끌림, 이 느낌 | 참 Mystery 해 넌 | Gotta get to know you more | Cos, uh! 우리 둘만의 Connection | 자연스레 끌리는 Attraction-ah | I got the feels for you yea yea yea yea | You have stolen my heart, oh yeah | 놓아두지 마 | 내버려 두지 마 | 뜨거운 내 맘속으로 oh yeah | I got all the feels for sure | Yeah, I got all the feels for ya | Boy I boy I boy I know | I know I get the feels | Boy I boy I boy I know | I know you feel it too | 달콤한 이 밤 떨리는 이 맘 | 달빛 아래 너와 나 | 마주친 그 순간, 아 | 놀란 게 분명해 | Cos you got me good and I wanna be ya boo | 떠나지 않을래 나와 말리부 | 네온 사인 아래서 Bebe | 너와 나 단둘이서 Bebe | 널 보고 있잖아 | 나 듣고 있잖아 | Yeah, tell me baby what's the deal? | Oh, 눈빛만 봐도 난 다 알 수 있어 | That you you you give me the feels

Original publisher JYP Publishing (KOMCA), NuVibe Music, James Norton Pub Designee (PRS) **Sub-publisher** JYP Publishing (KOMCA), Music Cube, Inc., Warner Chappell Music Korea Inc. **Programming by** 이우민 "collapsedone", Justin Reinstein **Synth by** 이우민 "collapsedone", Justin Reinstein **Guitar by** 이우민 "collapsedone" **Bass by** 이우민 "collapsedone" **Background vocals by** Sophia Pae, Anna Timgren **Vocals directed by** 이우민 "collapsedone", Sophia Pae **Vocal edits by** 이우민 "collapsedone" **Recorded by** 엄세희, 이상엽 at JYPE Studios **Mixed by** Tony Maserati at Mirrorball Studios, North Hollywood **Assistant mix engineer** David K Younghyun **Mastered by** 권남우 at 821 Sound Mastering

CONTENTS
PRODUCTION

PRODUCER   J.Y. Park "The Asiansoul"

A&R
MUSIC   김제우(Jame Kim)
MUSIC ADMIN   김유정
PRODUCTION   황지현, 김유주, 하윤진, 권서영
DESIGN   서엔아, 이소엔, 윤애림
ADMIN   신새울

RECORDING
ENGINEER   최혜진, 엄세희, 이상영, 구혜진 at JYPE Studios

MIXING
ENGINEER   이태섭, 김홀진, 박훈정 At JYPE Studios
                                            Kevin "KD" Davis at Beach Wave Sound, North Hollywood, CA
                                            구종필 at KLANG Studio
                                            조지아거치 @ JoeLab (asst. 강동호)
                                            신봉원 at GLAB Studios
                                            Tony Maserati at Mirrorball Studios, North Hollywood
                                            Assistant mix engineer David K Younghyun

MASTERING
ENGINEER   권남우 at 821 Sound Mastering
                                             Gene Grimaldi at Oasis Mastering

VIDEO DIRECTOR   YOON SEUNGRIM, JANG DONGJU @RIGEND FILM

PHOTOGRAPHER   윤송이 @ ART HUB TEO

HAIR DIRECTOR   정선영, 손은희, 최지영, 김진희 at 준오

MAKEUP DIRECTOR   조상기, 지아 at 준오
                                            원지요 at 빛앤뭇

STYLE DIRECTOR   최민혜 이사
                                            오소울, 윤보노 팀장
                                            @TEAM WHITECHAPEL

ALBUM ART DIRECTION
& DESIGN   서엔아, 이소엔, 윤애림 At JYP Entertainment

WEB DESIGN   서엔아, 이소엔, 윤애림 At JYP Entertainment

MANAGEMENT & MARKETING
DIRECTION   신현국
아티스트 3본부   정용길, 유보라, 김제우(Jame Kim), 황지현, 신연화, 신새울, 유홍범, 저중교, 천종진, 양다설, 김소라, 서엔아, 조한미,
                                            이소엔, 김유주, 조중herb, 하윤진, 윤애림, 송민교, 변지영, 강동호, 권수현, 유사홈, 신봉호, 이민겨, 성지원, 권서영, 조소옥,
                                            장지훈, 김유치, 김혜신, 김민겨, 김지현, 문동호, 서혜찬, 강들

CHOREOGRAPHER   Yum heeso, Simeez x cabee x Riam, Kiel Tuein, Todd Williamson

JYP STAFF

EXECUTIVE PRODUCER	정욱(Jimmy Jeong)
신인개발본부	이지영, 김현경, 이유리, 이시운, 이윤구, 전영균, 이동한, 전연식, 김성하, 김정태, 최규진, 지혜민, 이다вин, 오소영
아티스트 1본부	송지운(Shannen Song), 박채원, 하수진, 김하림, 조천환, 이서아, 양민지, 김선미, 강하윤, 김태희, 김은섭, 김은엽, 이상훈, 박상훈, 박다연, 김유디, 이윤진, 이찬호, 김동우, 김지윤, 전윤기, 김유현, 김소연, 정유희, 서수연, 이지현, 아리뜨또 루나, 이현호, 이윤호, 전예진, 김서원, 김도현, 전윤비, 김유미, 정지윤, 조의환, 유현지
아티스트 2본부	김희원, 김지혜, 최지윤, 김예진, 김유내, 박윤아, 김태희, 이가은, 박상윤, 지상경, 김하야린, 김니철, 이혜민, 김철림, 안효현, 정주윤, 김은시, 김지영, 최효과, 김연주, 신효림, 최혜지, 유지운, 권아영, 정효진, 배지연, 이윤재
아티스트 3본부	신현욱, 정효걸, 주보라, 김예주(Jame Kim), 한지현, 신선화, 신서윤, 유효녕, 정윤교, 천윤희, 안다설, 김소라, 서연아, 조찬미, 이소연, 김유주, 조혜비, 최윤깅, 손매찬, 손민교, 변지연, 강주빈, 윤두진, 윤사율, 신윤슨, 이민경, 성지현, 권서영, 조소윤, 장지윤, 김유희, 김예지, 민민경, 김지연, 윤효효, 서혜원, 감율
아티스트 4본부	이지연, 장하나, 김지현, 김태눈, 홍시내, 한현호, 정운진, 최아린, 김혜연, 한수지
STUDIO 5본부	윤효준 "Moomworker", 유명훈, 이해민, 김서모, 박건우, 이수휘, 정가영, 이시혁, 박진, 현무숟, 신동현, 김다열, 최경신, 한수민, 노지화, 김혜원, 서라옴, 김태욕, 이수현, 권대수, 박종시, 신효진
매니먼트본부 데이먼스디랙팅LAB 매니먼트본부	박형묵, 김현운, 윤효소, 오금철, 나태욱, 봉마란, 김성미, 강수슨, 박경석, 싱금조, 천윤경, 김해민 김상효, 선지철, 덕현식, 이지웬, 이서훈, 강생경, 진풍구, 박세두, 복경민, 박미지, 심아형, 최지슨, 박상닥, 오슨지, 김지현
사업지원본부 광고사업실 경영지원실	변상봉 윤재욱, 정두후, 이수슨, 이정음, 김효수, 오영민, 박음진, 김지민, 이민아, 따예빈, 김다애 양효춘, 김효자, 박치슨, 우영현, 박둑욱, 천영순, 김성경, 옥성효, 김미경, 안음휴, 이지서, 김효슨, 칭영수, 안진슨, 조상현, 최시슨, 김지영, 박시현, 이윤시, 김혀림, 장효슨, 이분효, 최진유, 김도경, 조영욱, 박미지, 최세다, 허슨훈, 백현슨, 김가민, 김혜진, 이윤음, 이호수, 한교회, 신하슨, 김오진, 최효영, 노형훈, 민교효, 노찬효, 이경혐, 이지슨, 안효효, 박다효, 고효서, 노음아, 이혜빈, 이지윤, 김차영, 김음수, 이차슨, 김서훈, 조윤희, 이가슨, 박천배
RECORDING ENGINEER	이태성, 최혜진, 김윤진, 엄세희, 이상엽, 구혜진, 박은지
JYP THREE SIXTY	
CEO	신현욱
CEO	김기영(K-Jay)
ASSISTANT	김효후, 김수민, 조혜진
JYP PUBLISHING	
CEO	이정욱
ASSISTANT	조현주, 이승민, 정두경, 김도훈, 김두신
JYP PUBLISHING USA	
CEO	이추지
JYP CHINA	
CEO	이철윤
ASSISTANT	Liu Miao, 오성철, Li Meitan, Zhu Xiaoyan, Jin Peixin, 최경환, Zhao Shali, 조윤신, Li Xiaozhu, Zhemg Xumhai, 신민지, Xu Shenghua, Wang Xiaoshuang, Jin Lamgying, Wang Zimimg, Quan Yuji, Wamg Haogamg, 최보훈, 김연지, Zhamg Chi, Hu Yaodam, Wamg Zhe, Yu Liamg, Fu Yifamg, Li Xiamgzi
JYP JAPAN	
CEO	송지운(Shannen Song)
ASSISTANT	정경화, Saiki Ayumi, Narica Rimko, 이지음, 전윤경, 홍민아, 김도연, 김진일, 한효선, Sudo Fuka, 김예진, 지지현, 한경욱, 권혜두, Kemmoesu Yumo, 정수호, 안혜지, 유윤애, Yoshimura Seima, 정지회, Takahashi Rika, 박경리, Do Jinami
JYP THAILAND	
MANAGING DIRECTOR	김기영(K-Jay)
ASSISTANT	Nuccha Chamsinge, Nuemiechakam Varabut, Nidchaman Leresupchaworm, Choeika Chamearalawam, Suthama Saenapol, PimpaKaisorm Khlomgkaiwee
JYP PICTURES CHINA	
CEO	이철윤

TWICE